En couverture : Jeune Iroquoise recevant sa première flèche d'amour

Éditions Simon Blais
5420, boul. Saint-Laurent, local 100
Montréal (Québec) H2T 1S1
www.galeriesimonblais.com
info@galeriesimonblais.com

Éditeur : Pierre Graveline avec la collaboration de Paul Bradley
Textes : Jennifer Alleyn, Anne Cherix, Mona Hakim
Chronologie : Gilles Lapointe
Design graphique et montage : Ann-Sophie Caouette
Photographies des œuvres : Guy L'Heureux
Photographies d'Edmund Alleyn et Anne Cherix : attribuées à Paula Davis
Correction des épreuves : Hélène Morin
Conseiller en impression : Tandem Graphique

Reproduction des œuvres d'Edmund Alleyn :
© Succession Edmund Alleyn

Chronologie :
© Les éditions du passage

Dépôt légal : 4e trimestre 2009
Bibliothèque et Archives nationales du Québec

Imprimé au Québec (Canada)

EDMUND ALLEYN

Hommage aux Indiens d'Amérique

Textes de
Jennifer Alleyn,
Anne Cherix
et Mona Hakim

Chronologie de
Gilles Lapointe

ÉDITIONS SIMON BLAIS

LA MYTHOLOGIE
DE L'OISEAU-PEINTRE

4

Les œuvres flamboyantes de la *Suite indienne* tranchent, à première vue, radicalement avec les masses ovales et sombres du corpus précédent d'Edmund Alleyn, plongé dans un monde gris-beige.

Indéniablement, il y a eu révolution.

Bouleversement.

On trouvera dans la chronologie de l'artiste une explication fort simple à cette explosion stylistique : la rencontre à Paris en 1962 de Anne Cherix, artiste d'origine suisse, dont il tombe éperdument amoureux, et qu'il épousera deux ans plus tard.

Comme l'oiseau-peintre, le jeune Canadien trace alors entre 1962 et 1964, sur le canevas, le plus attrayant des décors, dans l'espoir d'attirer la belle à faire son nid auprès de lui. Après neuf ans d'exil en France, le Parnassien d'adoption veut retrouver son territoire. Il rappelle à sa conscience — et à sa main — le sol où il est né, berceau de son imaginaire. La culture amérindienne traverse alors l'océan et vient à sa rescousse. Totems, masques, figures primitives : une géométrie s'anime, un langage émerge, mélange oblique puisant son inspiration poétique à même les fresques des Indiens d'Amérique.

Dans une suite de tableaux de plus en plus figuratifs, apparaissent les personnages d'une tribu inventée. L'artiste, titrant les œuvres, glisse au passage des didascalies amusées : *Jeune Iroquoise recevant sa première flèche d'amour, Un brave en baudruche, Vieil Indien au couchant, Jacques Cartier arrivant à Québec voit des Indiens pour la première fois de sa vie, Miss Canada.* Le récit, nourri par l'histoire du pays qu'il a quitté, est ici festif, loin de la nostalgie : avec *La tribu en vacances*, nous sommes conviés au banquet. Écrasant l'espace et le temps, Alleyn se sert de la mythologie amérindienne pour dire son attachement à la terre qui l'a vu grandir, à cette nature qui formait son premier regard, ses premiers sujets. Il est

conscient qu'il emprunte, qu'il n'est pas Amérindien, mais il sera Indien d'Amérique, le temps de son séjour en France. Car il est de passage, comme toujours. Il cherche. Et les particules identitaires, les motifs repris de cette culture ancienne, forment un tout qui l'emballe visuellement et symboliquement. Libéré des contraintes esthétiques des tableaux abstraits, ce nouveau paysage le définit comme migrant et comme artiste.

Gorgées d'amour et de sensualité, les toiles traduisent, dans leur coloris audacieux de vert, orange et rose, une félicité proche de la joie, îlot rare dans la vie du peintre. Le geste épouse ici la musique : le jazz de Count Basie et le swing d'Ellington. On y perçoit même l'écho lointain des danses indiennes, rythmées par les tambours que le jazz fait résonner.

Les œuvres retrouvées dans la cave de l'atelier y étaient roulées depuis quarante ans. Découverte magique, elles ouvrent une nouvelle porte d'interprétation de l'œuvre d'Alleyn. Réunie pour la première fois de façon exhaustive, la *Suite indienne 1962-1964* révèle une palette exubérante, presque mouvante : gestations fantasmagoriques, empreintes d'une féconde jouissance. Les toiles, l'une après l'autre, portent la trace de la passion naissante, baignée de tous les possibles, pulsant déjà mai 68… Tableaux d'avant l'engagement social, d'avant la peur d'une emprise technologique sur l'Homme, ils célèbrent la vie. Ils nous invitent au banquet des retrouvailles, un événement heureux dans la vie d'un peintre tout à coup réconcilié avec la couleur.

Mais le plus étonnant, avec cette peinture indienne, c'est la façon dont elle anticipe et préfigure la dernière période, celle des **Éphémérides**. Objets en suspension, disposés autour d'une verticale immuablement ancrée comme un fossile dans l'imagerie d'Edmund Alleyn. Les toiles télescopent quarante ans de vie, pour retrouver cette spatialisation instinctive qui tend invariablement à diviser la toile, à séparer l'être et le non-être, l'être et le néant, la couleur et l'absence de couleur, le plein et le vide. Partagé entre deux langues, Alleyn opère très jeune une dissection biologique pour marquer sa vie en deux dimensions, dans une tension permanente entre le fond et la forme. Cette géographie fondamentale sans cesse revisitée, auscultée, ciselée, aura-t-elle jamais fini d'offrir ses possibilités au regard du peintre ? L'apparition de nouveaux coloris ne fait qu'accroître son envie de redéfinir le paysage de sa vie.

Looking elswhere
v. 2002, lavis, 33 x 45 cm

Après la fulgurante et jubilatoire odyssée des années 1960, on assiste, quarante ans plus tard, à l'Iliade nocturne scrutant les ténèbres. On pénètre enfin le noir profond, ce trou béant où flottent les connaissances acquises, où dansent les réalisations humaines, où pyramide de Khéops et visage de Proust s'accostent le temps d'un soupir. L'homme a certes évolué. Ses symboles ne sont plus des amibes et autres organismes précambriens. Ils ont pris forme et fonction et appartiennent au monde civilisé. Mais au seuil de la mort, qu'ont-ils de plus, ces symboles ? Une conscience ? Elle aussi, emportée par la grande faucheuse, disparaîtra. Un sens ? Pour qui ? Avec des pièces comme *Où ? Comment ? Pourquoi ?* et *Anatomie d'un soupir*, le sens des choses se retire, échappe à l'entendement de l'homme qui part.

Heureusement, la couleur n'a pas complètement disparu. Les balafres turquoise et rose viennent bousculer l'angoisse grandissante pour rappeler l'apothéose de l'amour fondateur.

Jennifer Alleyn

Jennifer Alleyn *est la fille d'Edmund Alleyn. Auteure et cinéaste, elle a réalisé plusieurs films sur l'art, dont* L'atelier de mon père, sur les traces d'Edmund Alleyn, *lauréat du prix de la meilleure œuvre canadienne au Festival International du film sur l'art (FIFA).*

FIGURES
DE RÉSISTANCE

Au cœur même du séjour parisien d'Edmund Alleyn (de 1955 à 1970), la première moitié des années 1960 a ceci de captivant qu'elle fournit déjà les assises d'un vocabulaire plastique singulier qui s'échelonnera sur plus d'une cinquantaine d'années. À cet effet, la période indienne, bien qu'elle fût de courte durée (1962-1964), mérite un examen plus attentif. Jamais présentées en si grand nombre, les œuvres de cette période haute en couleur, si distinctives qu'elles puissent paraître en regard de la production globale de l'artiste, se révèlent pourtant fort signifiantes dans la suite des événements.

Les débuts

À son arrivée à Paris en 1955, Edmund Alleyn maintient encore dans ses tableaux non figuratifs une pâte épaisse et terreuse, une gestuelle tranchée et un contenu vaguement paysagé dont le tachisme, pour certains, semble profiler des monceaux de madriers échoués sur une grève. Réminiscences de la Gaspésie de sa jeunesse et de son attachement pour la représentation de la nature il va sans dire, qui feront vite place à la fin des années 1950 à une construction beaucoup plus dépouillée. Dans *Le miroir* (1958), une grande masse sombre troue désormais la surface centrale de la toile, libérant les périphéries comme sous l'impact d'une boule de feu tout en laissant subtilement entrevoir les couches de matière sous-jacentes. À propos de ces couches de peinture superposées, Alleyn parlera déjà en termes de « superposition d'états dans le tableau. D'états temporels »[1]. Cette forme ovoïde, sorte de cratère ou bien d'empreinte d'organismes en mutation, rattachée à des tendons ou le plus souvent suspendue librement dans l'espace, ne présage-t-elle pas les formes hors gravité et hors temps des tableaux ultérieurs de l'artiste ?

Des signes émergents et jubilatoires

De retour à Paris en 1961 après une escale d'un an au Québec, Edmund Alleyn est animé d'une énergie nouvelle. Peu à peu, les tons sourds et l'atmosphère ténébreuse de ses peintures disparaissent au profit de la couleur et d'une surface plus agitée. Les tableaux de 1962 et surtout de 1963 le démontrent plus clairement avec leurs compositions plus touffues constituées de coulées de filaments, de formes informes et de couleurs délavées, mélange d'ocre, vert, brun et orangé alors que dans ce magma de matière intervient progressivement une panoplie de

10 signes graphiques. Aux cercles, flèches, croix, triangles, rectangles des premières œuvres de la série s'ajouteront les cœurs, serpentins, poissons, chenilles, insectes, spermatozoïdes, ovules et autres figures biomorphiques ou à caractère sexuel.

Visiblement, le tachisme de cette peinture informelle semble livrer un combat avec les signes graphiques émergents, comme si l'un et l'autre avaient du mal à se dissocier. On reconnaît déjà là cette dichotomie, cette tension entre des orientations opposées dont Edmund Alleyn fera un principe majeur tout au long de sa pratique artistique. Si la figuration aura eu préséance dans l'ensemble de sa production, cette série d'œuvres semble néanmoins l'amorce d'une création disponible à toutes potentialités picturales. « Je n'aime pas l'air aseptisé, affirmait l'artiste. Il me faut un certain désordre. Quelque chose qui n'est pas tout à fait conclu. (Certaines) œuvres confrontent des espaces descriptifs à des formes abstraites, des nuances en grisaille à des accents fortement colorés. Il s'agit en fait de maintenir un espace ouvert à toutes sortes d'éventualités formelles et littéraires (…). Accueillir le paradoxe lorsqu'il se présente »[2].

Or malgré la grande liberté du geste, on constate à quel point le vocabulaire graphique de ce corpus d'œuvres suit un parcours extrêmement structuré. Dans *Ça va ?* (1963), on croit reconnaître indistinctement la masse centrée des tableaux précédents où s'accumulent cette fois les cercles, croix et triangles marqués aux traits noirs. Ailleurs, dans *Hein ?* (v. 1962) ou *La Fiancée* (1963), cette même configuration, sorte de boîte rectangulaire ou de faciès allongé (qui réapparaîtra à maintes reprise dans d'autres tableaux), dénoue son noyau de formes abstraites pour se métamorphoser en un bouquet de cercles (de fleurs !), ou en grappes d'anneaux suspendues. Bon nombre d'œuvres respecteront cet axe vertical clairement visible près duquel graviteront des conglomérats informes qui suivront plutôt une trajectoire horizontale et en bordure du cadre. Alleyn systématisera cette structure formelle, tandis que les formes abstraites, quant à elles, chercheront de plus en plus à faire images. Ainsi les accumulations de cercles qui s'agglutinent autour du pivot central deviennent colonnes vertébrales, têtes coiffées ou en forme de cœur, formes phalliques, spermatozoïdes, créatures hybrides, évoquant un univers à la fois biscornu, enfantin et érotique. Jumelant geste instinctif et composition contrôlée, Alleyn se laisse aller à une peinture délurée, n'hésitant pas à réutiliser les mêmes figures d'un tableau à l'autre, les réinterprétant, les transformant à sa guise dans une atmosphère jubilatoire et féconde. Des œuvres comme *Juin* (1963), *Poussée* (1963) ou *Chair de poule* (1964) démontrent très bien les métamorphoses graduelles des formes à partir d'une même structure de base.

En 1962, Edmund Alleyn fait la connaissance à Paris d'Anne Cherix, qui allait devenir sa femme. Il est fort probable qu'une part de cet élan amoureux soit à la source des tableaux enjoués de cette période. Peuplés de corps féminins, de bulles en fleurs, de poissons et de serpentins sur des fonds vert lime, rose et jaune, ces tableaux témoignent à tout le moins d'une franche réconciliation du peintre avec la couleur et d'une première exploration de ses pulsions intérieures. Difficile toutefois de saisir le sens exact de ces univers symboliques. Que cherchent à nous dire les bulles en forme de phylactères qui semblent sortir des têtes en cœur dans *Coup de pouce en noir* (1964), *Chair de poule* (1964) ou *Poco* (1964) ? À moins qu'il s'agisse de corps en apnée ? Pour leur part, les figures en aplat, leurs contours nets et leur distribution en séquence à la manière de pictogrammes introduisent une découpe spatiotemporelle qui contribue à accentuer toute ambiguïté narrative.

Une nouvelle figuration

On pourrait observer les recherches picturales d'Alleyn à la lumière du renouveau de la figuration qui a cours à Paris dans les années 1960. Sous le vocable de « La figuration narrative », le critique d'art Gérald Gassiot-Talabot pose les prémisses théoriques d'un courant aux ramifications variées, qui se voulait d'abord en réaction à la secousse formaliste d'après-guerre et qui cherchait au même moment à se repositionner par rapport à l'art pop dominant et au nouveau réalisme européen. Plusieurs s'entendent pour situer l'origine de la figuration narrative avec l'exposition *Mythologies quotidiennes* (titre inspiré du livre de Roland Barthes), organisée par Gérald Gassiot-Talabot en 1964 au Musée d'Art moderne de la ville de Paris, exposition à laquelle furent d'ailleurs exposées des œuvres d'Edmund Alleyn. Si Gassiot-Talabot et lui ont par ailleurs développé une belle connivence d'esprit, le cercle d'amis d'Alleyn comptait également quelques figures marquantes de ce courant : Bernard

12 Rancillac, Hervé Télémaque, Jacques Monory, Cheval-Bertrand. Pour Gassiot-Talabot, les œuvres des trente-quatre artistes exposés expriment une « nouvelle perception du quotidien contemporain »[3]. Pour bien les distinguer de l'idéologie de l'art pop et du nouveau réalisme, il précisera que c'est plutôt à « la précieuse mouvance de la vie, cernée dans sa continuité ou dans l'un de ses moments privilégiés, qu'ils consacrent des œuvres qui, par "l'art narratif" ou la recherche de "l'image-choc", réintroduisent le sens de la durée dans le contexte pictural »[4].

L'appropriation de leur quotidien ne signifie pas pour autant d'éviter la fréquentation des autres courants passés et présents, ni des autres langages graphiques (bande dessinée, photographie, dessin, affiche, cinéma), non plus de tourner le dos aux voies de l'imaginaire. On comprendra dès lors cette attention portée aux clivages d'éléments hétérogènes et à leur découpage par séquences spatiotemporelles sur la toile à des fins d'équivocité narrative et interprétative, propices à de nouvelles réalités. Dans les termes de Gérald Gassiot-Talabot : « Est narrative toute œuvre plastique qui se réfère à une représentation figurée dans la durée par son écriture et sa composition, sans qu'il y ait toujours à proprement parler de récit »[5]. Une définition qui s'arrima aux nouvelles propositions des artistes de l'exposition *Bande dessinée et figuration narrative* qu'il organisa en 1967 au Musée des Arts décoratifs.

Icônes amérindiennes

Les scènes imagées et plurivoques, bien qu'elles courtisent la symbolique sexuelle, se métamorphoseront, comme par osmose, en une composition allégorique d'icônes à saveur amérindienne. De fait, les totems, masques, plumes, flèches et boucliers reconfigurent les colonnes vertébrales dressées et les têtes en cœur des premiers tableaux dans des compositions de plus en plus fantaisistes, ludiques et festives. Il appert qu'en interrogeant la nature des univers symboliques qui se révélaient sous ses yeux depuis 1962, Alleyn prend connaissance deux ans plus tard de l'iconographie des Indiens de la côte ouest américaine (à la suggestion d'une amie) et découvre les affinités que son langage pictural entretenait avec cette culture ancestrale. « Voici que se présentait une chance d'arriver à une affirmation à l'intérieur de mon travail qui référait directement à la géographie de mon pays et en quelque sorte à son histoire »[6].

L'artiste consolide ainsi un thème qui, jumelé à son répertoire de signes biomorphiques, figurait une sorte de cartographie d'un inconscient collectif qui répondait au même moment à sa propre quête identitaire. Éloigné de son lieu d'origine et confronté à un milieu culturel international, celui-ci tente de retrouver un lien d'appartenance avec une certaine américanité, de retrouver ses racines en se réappropriant une mythologie populaire issue de son propre espace culturel. Les références seront d'ailleurs plus évidentes au fil de sa production, donnant du panache à ses têtes coiffées d'ornement et juchées sur leur structure totémique, décorées de colliers à plumes ou déguisées en sorcier. Les titres en sont non moins évocateurs : ....*Avant que la mer monte* (v. 1963-1964), *Totem 2* (1964), *Vieil Indien au couchant* ((1964) et les saisissantes *Jeune Iroquoise recevant sa première flèche d'amour* (1963-1964) et *La tribu se satellise* (1964). La gestuelle et l'iconographie utilisées ne sont pas bien sûr sans rappeler celles de l'expressionnisme abstrait américain pour qui la symbolique amérindienne et primitive servait de repère psychique.

Mais qui est donc cet autre, caché derrière son masque et ses apparats ? Ces corps indigènes ne sont-ils pas pour nous des figures de l'inconnu, de l'irrésolu, des figures de résistance ? En cherchant une forme de reconnaissance identitaire à travers l'autre, Edmund Alleyn ne se bute-t-il pas ici à un moi ambivalent ? Certes, il serait difficile d'esquiver la part autobiographique que recèlent les compositions. Mais bien au-delà de l'anecdote sentimentale (Qui donc lance la flèche à la jeune Iroquoise ? Qui est ce vieil Indien au couchant dans ses beaux atours ?), les œuvres de 1964 poussent les pulsions personnelles et le geste expression-niste à un niveau de plénitude témoignant d'une subjectivité exaltée. Tout un univers à la fois marin et terrestre (chère à la mythologie des peuples autochtones) se déploie sous nos yeux, peuplé de poissons, chenilles, animaux et autres plantes aborigènes que des couleurs vives et incongrues de même qu'un geste énergique et frustre émaillent. C'est sans compter les multiples interventions portées sur le support, que ce soit en procédant par collage de tableautins à l'extérieur du cadre à la manière d'interfaces branchées au tableau principal, dans *La tribu se satellise*, ou en découpant littéralement la toile en lambeaux lui donnant les traits d'un masque s'extirpant du châssis, dans *Chef en grand apparat* (1964).

Espaces subjectifs et distanciation

Ce geste expressionniste, cette subjectivité picturale exacerbée met à mal une lecture fluide de ce qui est représenté. Alleyn procèderait ainsi à une sorte de « défiguration », pour emprunter le terme de Jacques Rancière, « un travail qui rend visible autrement la même peinture, qui convertit les figures de la représentation en tropes d'expression (...) un théâtre de la défiguration, où les figures sont arrachées à l'espace de la représentation et reconfigurées dans un autre espace »[7]. En transformant les données figuratives en « états métaphoriques de la matière picturale », il s'agirait donc, selon Rancière, de visualiser un espace où s'impose la corrélation entre « l'épaisseur de la matière picturale et la matérialité du geste de peindre (...) à la place du privilège représentatif de la forme qui organisait et annulait la matière »[8]. En donnant préséance au travail du peintre sur son tableau aux dépens de son sujet de représentation, Alleyn ne tente-t-il pas de dénouer l'impasse, ou à tout le moins l'impossibilité de cerner un modèle identitaire qui lui échappe, une image illusoire de l'autre Amérique ? Et il est inutile d'insister ici sur l'écart que l'on sait entre tout modèle et sa représentation.

Pour les mêmes raisons, la construction de scènes mythologiques, condensées de ses propres images mentales, s'avère par ailleurs tout aussi déterminante. En puisant dans un réservoir d'icônes légendaires et primitives, l'artiste semble trouver là un refuge pour la conception d'un espace imaginaire, un lieu de transposition de sa propre vision du monde. Or le récit n'y est toujours pas pour autant cristallin. La fragmentation de la surface par juxtaposition frontale des figures tend à isoler les éléments entre eux, mais surtout à créer une mise à distance de formes-objets, à les positionner en dehors de soi en quelque sorte, afin de mieux les visualiser et peut-être bien de mieux les maîtriser. Dans deux œuvres phares de ce corpus, *Jeune Iroquoise recevant sa première flèche d'amour* et *La tribu se satellise*, impressionnantes par leur très grand format et par la surcharge des symboles, Alleyn déploie son répertoire iconographique, dissocie chacun des symboles comme les mots d'un récit elliptique.

D'autres tableaux datés de 1964, que ce soient Le *Mutant*, *Pique-assiette*, l'*Impie 1*, *Il y en a pour tous* ou *Wabo*, démontrent l'inclinaison de l'artiste à isoler les formes sur une surface distincte, comme écartées de leur récit originel, à les transposer sur des fonds monochromes, des fonds indéterminés, presque abyssaux pour quelques-uns (*Pique-assiette*, *Il y en a pour tous*), intemporels dans tous les cas. Dans cet exercice de dissection, d'ordonnance et de récurrence presque obsessionnelle des formes (la disposition des figures respecte presque toujours un même ordre), Alleyn préserve une cohérence formelle, mais ne s'assure-t-il pas plutôt d'un univers à sa portée, univers qu'il sait fort bien lui échapper ? *Au-dessus du lac* (1964) est à cet effet exemplaire. La découpe plus objective des figures fait graviter les éléments espacés dans une autre dimension, hors portée, à égale distance entre leur réalité et leur irréalité. L'œuvre anticipe de manière on ne peut plus éloquente la série des *Éphémérides*, dernière production de l'artiste, inventaire autobiographique de son monde mélancolique. « Envisager la peinture comme moyen pour explorer un espace psychique, confiera encore l'artiste. Représenter des fragments d'un paysage mental où des images condensent un vécu réel ou imaginaire et servent de repères le long d'un parcours obsessionnel-existentiel »[9].

On connaît Edmund Alleyn pour sa résistance à toute forme d'orthodoxie, d'allégeance dominante ou de conditionnement. Ce corpus d'œuvres qui date des années 1960 pourrait en être l'une des premières manifestations. L'évocation d'imageries dites « indiennes » et primitives, outre le fait d'y percevoir « un désir utopique de rencontrer une figure non instituée, hors contrôle, comme le présume Marcel St-Pierre dans un texte consacré à certaines de ces œuvres »[10], révèle un parti pris historique et mnémonique qui défie les diktats formalistes ambiants et les ruptures temporelles que ce modernisme a toujours entretenus. Toujours selon St-Pierre, ces œuvres décèleraient à la fois : « un désir de rétroprojection vers un es-pace social imaginaire et un recours tactique à l'archaïque effectué dans le but de le réexposer à l'histoire, d'en questionner nos représentations »[11].

Cet épisode coloré et allègre de la production du peintre dévoile sous ses parures et son cérémonial une œuvre d'insoumission et de liberté. Une œuvre dont la portée critique aura très vite des répercussions dans le corpus subséquent des *Conditionnements* en 1967 et qui teintera du reste tout ce qui suivra. Et s'il s'agissait, derrière ces masques de grand chef à plumes, de la propre figure de résistance de l'artiste ? Chose certaine, ces mises en scènes mythologiques confirmaient déjà chez Edmund Alleyn le territoire intérieur comme seul refuge identitaire.

Mona Hakim

1. « Un artiste et son milieu », entrevue accordée à la SRC avec Guy Robert en 1976.
2. Edmund Alleyn, « Notes de l'artiste. Automne/hiver 2000-2001 », dans *Carnets*, Montréal, éditions du Passage, 2005, p. 29.
3. Cité par Jean-Paul Ameline, dans Jean-Paul Ameline et Anne Bergerot, *La figuration narrative – Paris 1960-1972*, éditions RMN, 2008, p.21.
4. Jean-Paul Ameline, *idem*, p. 21.
5. Jean-Paul Ameline, *idem*, p. 22.
6. Entrevue accordée à la SRC, *op.cit.*
7. Jacques Rancière, *Le destin des images*, éditions La fabrique, Paris, 2003, p. 89.
8. Jacques Rancière, *idem*, p. 94.
9. Edmund Alleyn, « Notes, 23 novembre 1989 », dans *Carnets*, *op.cit.*, p. 11.
10. Marcel St-Pierre, « Portrait de l'artiste en forme de palette », dans *Edmund Alleyn, Indigo sur les tons*, Jocelyn Jean, Gilles Lapointe, Ginette Michaud, Montréal, Les éditions du passage, 2005, p. 55. J'invite à lire l'analyse très sentie de l'auteur concernant quelques-unes des œuvres dites « indiennes », en hommage à Edmund Alleyn.
11. Marcel St-Pierre, *idem*, p. 55.

Mona Hakim est commissaire d'expositions, historienne et critique d'art. Ses écrits paraissent dans des catalogues et opuscules d'expositions, monographies d'artistes et revues spécialisées. À titre de commissaire, elle a réalisé plusieurs expositions solos et collectives, ici et à l'étranger. Elle a également participé à des colloques en tant que conférencière et modératrice et fait partie de nombreux jurys de sélection. Elle enseigne présentement l'histoire de l'art au cégep André-Laurendeau.

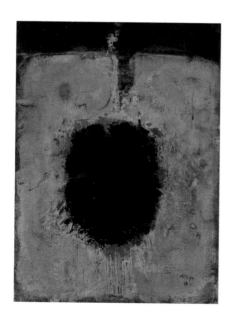
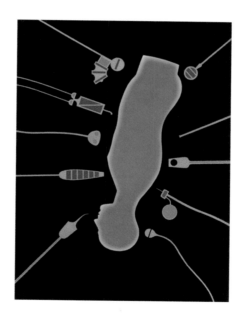

Le mirroir
1958, huile sur toile, 89 x 72 cm

Agression I
v. 1967, huile sur toile, 129,5 x 96,5 cm

L'avant et l'après
Les deux œuvres présentées ci-haut illustrent bien l'avant et l'après de la *Suite indienne* d'Edmund Alleyn. *Le mirroir* (1958) est typique des « masses suspendues » alors qu'*Agression I* (1967) s'inscrit parfaitement dans le corpus de la « période technologique ».

LA SUITE INDIENNE
1962-1964

Hein?
v. 1962, huile sur toile, 61 x 38 cm

Sans titre
v. 1962-63, huile sur papier, 47,5 x 37,5 cm

Sans titre
1962, huile sur toile, 116 x 88 cm

La grimpe
v. 1962-63, huile sur toile, 116 x 80 cm

Et alors?
1963, huile sur toile, 33 x 24 cm

Sans titre
v. 1962-63, gouache sur papier, 50 x 65 cm

Jacques Cartier arrivant à Québec voit des Indiens pour la première fois de sa vie
1963, huile sur toile, 190 x 231 cm

Sans titre
v. 1962-63, gouache sur papier, 50 x 65 cm

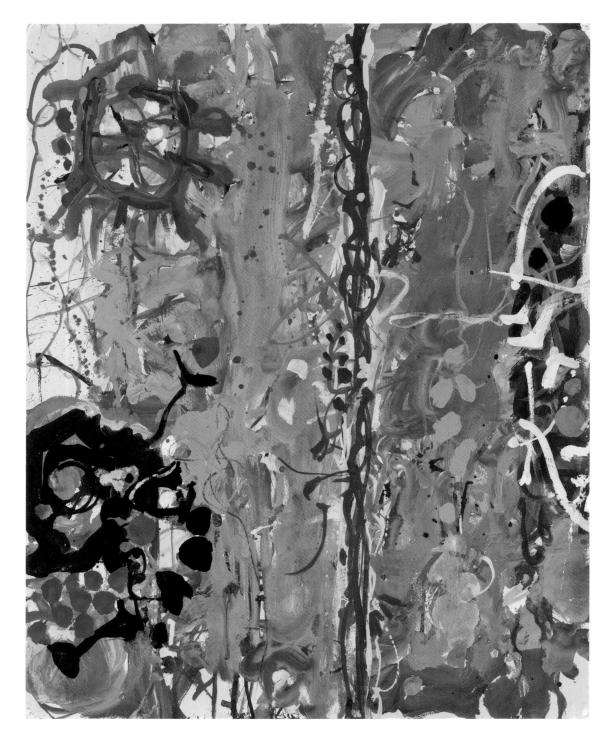

Sans titre
v. 1962-63, gouache sur papier, 64 x 50 cm

La fiancée
1963, huile sur toile, 145,5 x 113 cm

Sans titre
v. 1962-63, gouache sur papier, 65 x 50 cm

Juin
1963, huile sur toile, 130 x 96,5 cm

Sans titre
v.1962-63, gouache sur papier, 55 x 69 cm

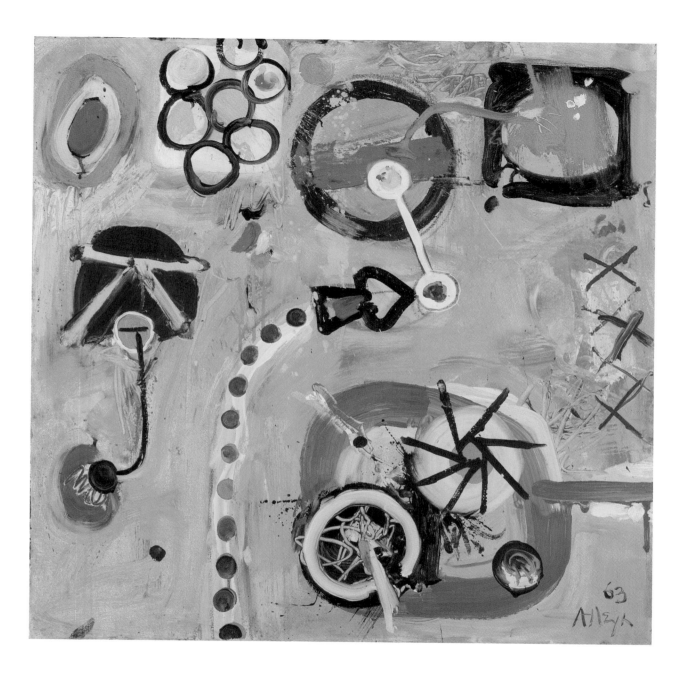

Jeux d'enfants
1963, huile sur toile, 80 x 80 cm

Ça va?
1963, huile sur toile, 41 x 26 cm

La boîte magique
1963, huile sur toile, 50 x 61 cm

Le mutant
1964, huile sur toile, 45,5 x 33 cm

Vieil Indien au couchant
1964, huile sur toile, 46 x 33 cm

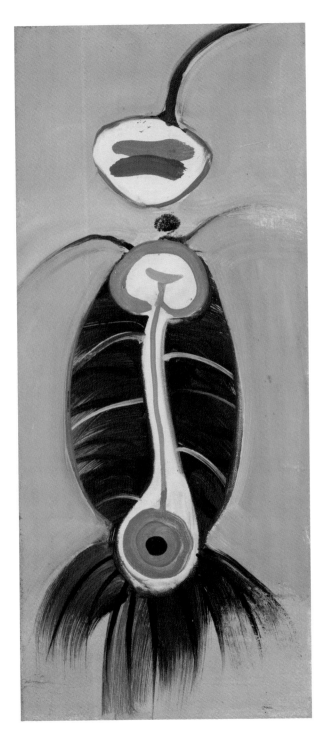

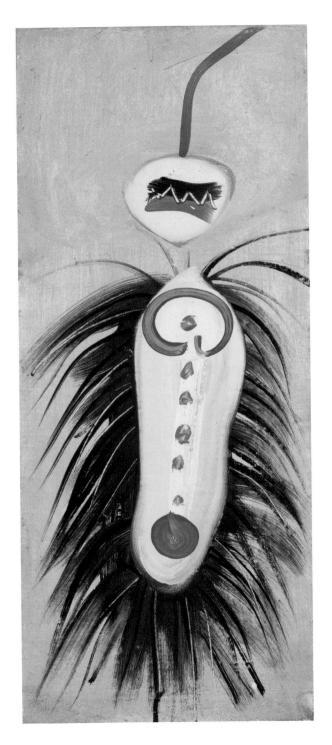

L'impie I
v. 1964, huile sur toile, 47 x 19 cm

L'impie II
v. 1964, huile sur toile, 47 x 19 cm

Sans titre
1964, gouache sur papier, 31 x 39,5 cm

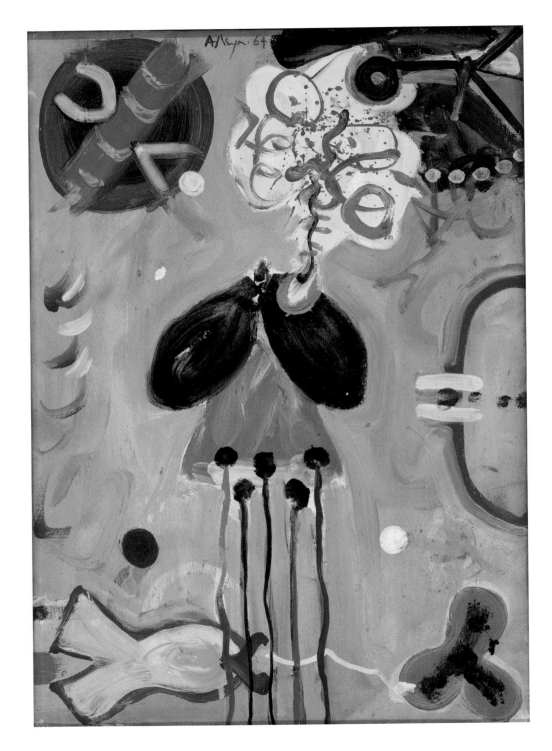

Coup de pouce en noir
1964, huile sur toile, 55 x 38 cm

Miss Canada
v. 1964, huile sur toile, 46 x 38 cm

L'odyssée d'une puce
1963, huile sur toile, 99 x 100 cm

.....*Avant que la mer monte*
v. 1963-64, huile sur toile, 81 x 60 cm

44

Poussée
1963, huile sur toile, 99,5 x 72,5 cm

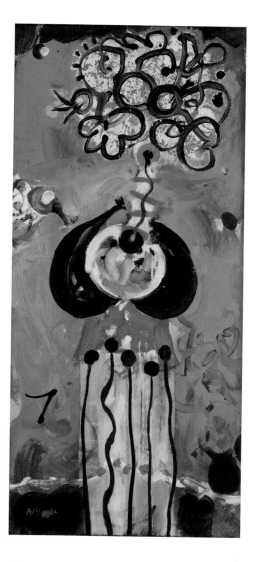

Totem 2
1964, huile sur toile, 97 x 41,5 cm

Poco
1964, huile sur toile, 80 x 35 cm

46

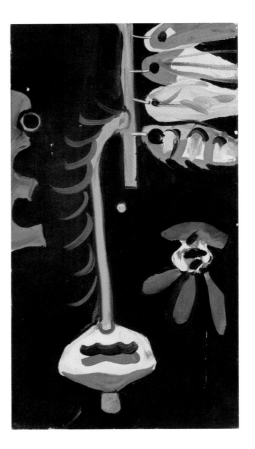

Il y en a pour tous
1964, huile sur toile, 46 x 27 cm

Pique-assiette
1964, huile sur toile, 57 x 31 cm

La fête
1964, huile sur toile, 55 x 45,5 cm

48

Sans titre
v. 1964, gouache sur papier, 37 x 27 cm

Comme deux ronds de flan
1964, huile sur toile, 33 x 46 cm

Wabo
1964, huile sur toile, 91 x 64 cm

Pour l'amour du ciel
v. 1964, huile sur toile, 29 x 43 cm

Sans titre
v. 1964, gouache sur papier, 21 x 30 cm

Au-dessus du lac
v. 1964, huile sur toile, 145,5 x 113,5 cm

Festive Warrior
1964, huile sur toile, 80 x 47 cm

Au creux de l'été
1963, huile sur toile, 116 x 89 cm

56

Sans titre
1964, gouache sur papier, 48 x 60,5 cm

Chair de poule
1964, huile sur toile, 65 x 50 cm

Pique-nique à Paspébiac
1964, huile sur toile, 72,5 x 60 cm

Sans titre
v. 1964, gouache sur papier, 44 x 75 cm

Jeune Iroquoise recevant sa première flèche d'amour
1963-64, huile sur toile, 210 x 215,5 cm

Un brave en baudruche
1964, huile sur toile, 161,5 x 129,5 cm

La tribu se satellise
1964, huile sur toile (11 éléments), 234,5 x 375 cm

Écorchez votre sourire aux émulsions encreuses, tressautez sur les graines vierges du papier, picorez-y votre repos ; repartez émoustillé au fond d'une coquille de noix et glissez au fil du broux qui bout, qui croît, qui s'enfle et bulbe… Tumulte de seins soufrés, de grimaces simiesques, de rondeurs populeuses.

Laissez cette antichambre et son combat de coqs en noir et blanc ; entrez dans l'arène en cravachant le miel et la réglisse, délivrez-vous d'une cataracte de rires, gonflez vos pupilles de cette couleur qui sue, s'éponge et s'égoutte en violences raffinées ; parcourez des sols jonchés d'éclats totémiques, savourez des broussailles féminines et, au beau milieu d'une danse folklorique, soulevez un jupon framboise et découvrez une vestale !

Anne Cherix
Suite à une visite d'atelier chez Edmund Alleyn, disciple de l'académisme défroqué.

Paris, 1963.

Sans titre (détail)
1964, encre sur papier, 64 x 45 cm

1931

9 juin ~ Naissance à Québec de George Edmund Alleyn, fils de Richard Alleyn et de Lelia Devlin. Après Edmund naîtront Nora et Richard.

1937-1943

Études primaires à l'école anglaise Saint-Patrick de Québec. Il passe ses étés le long du fleuve, à Kamouraska.

Étés ~ Bricolage, construction d'une embarcation, d'un appareil radio, etc.

1941

Été ~ Encouragé par sa tante, peintre amateur, il peint sur le motif des goélettes et des paysages en forêt.

1943-1947

Le père, qui destine son fils à la médecine, décide qu'il poursuivra son éducation en français et l'inscrit chez les jésuites au collège Saint-Charles-Garnier de Québec. Ce passage forcé de l'anglais au français, qu'il ne parle pas, suscite des difficultés scolaires importantes.

1947

Une attaque de polio, qui n'aura pas de séquelles sur sa santé, nécessite une longue convalescence. Suit une période de découragement. Son intérêt pour la peinture croît à la suite de sa découverte d'un tableau de James Wilson Morrice.

1949

Il est pensionnaire chez les jésuites au collège Brébeuf de Montréal. Ses résultats scolaires sont catastrophiques.

Été ~ Il travaille quelques semaines auprès d'un géologue en Gaspésie. Il fait aussi la connaissance, à Port-au-Persil, de Jean Paul Lemieux, professeur à l'École des beaux-arts de Québec.

1950

Septembre ~ Il poursuit ses études (Philo I) à Saint-Charles-Garnier, de Québec. Il abandonne en janvier.

1951

Septembre ~ Sur la recommandation de Jean Paul Lemieux, il est admis à l'École des beaux-arts de Québec. Il est sensible à l'enseignement de cet artiste qui l'initie aux œuvres des impressionnistes, à Van Gogh et à Picasso.

1953

Location d'un petit atelier situé rue Saint-Gabriel à Québec, qu'il partage un temps avec l'artiste Claude Picher.

Avril ~ Première exposition individuelle (huiles et aquarelles) à la Galerie L'Atelier, sise au 12, rue Sainte-Anne, à Québec.

1954

Il fait ses premières expériences de peinture non figurative à l'École des beaux-arts de Québec.

Avril ~ Participation, à la Galerie Antoine de Montréal, avec Jean Paul Lemieux (sous le pseudonyme de Paul Blouin), à l'exposition *La Matière chante*. La sélection, devant public, de son tableau *Ça arrive dans les meilleures familles, n° 1* par Borduas et la découverte de la supercherie déclenchent, dans les journaux montréalais, une vive polémique entre Claude Gauvreau et Claude Picher.

Mai ~ Il assiste au débat public entre Claude Gauvreau et Claude Picher à la Librairie Tranquille.

Été ~ Location d'une maison canadienne à Saint-François, sur l'île d'Orléans, où il peint tout l'été. Il effectue un court voyage à New York avec Noël Lajoie et Gilles Corbeil, et rencontre Paul-Émile Borduas à son atelier. Visite marquante de Harlem et du Metropolitan Museum où il voit des œuvres de Klee, Kline et De Kooning.

Expositions collectives

Un groupe de Québec, Librairie Tranquille, Montréal.

La Matière chante, Galerie Antoine, Montréal, du 20 au 30 avril.

[Alleyn, Morriset, Vézina], Palais Montcalm, Québec, du 25 au 31 décembre.

1955

18 mai ~ Obtention du premier prix de peinture pour son tableau *Marie, Reine du monde* [sujet imposé] dans le cadre du concours organisé par la maison Thérien et frères.

Juin ~ Il termine ses études à l'École des beaux-arts de Québec où il obtient un diplôme de professorat en dessin.

22 septembre ~ Lauréat du grand prix des Concours artistiques de la Province de Québec pour son tableau *Sur la grève*.

Septembre ~ Départ pour Paris. Résident de la Cité universitaire et titulaire pour deux ans d'une bourse de la Société royale du Canada, il s'inscrit à l'École des beaux-arts de Paris, qu'il fréquentera peu, et travaille occasionnellement à l'Académie Julian des Champs-Élysées.

Exposition individuelle

Galerie Agnès Lefort, Montréal.

Expositions collectives

Concours artistique de la Province de Québec, Musée de la Province de Québec, Québec.

Palais Montcalm, Québec.

Edmund Alleyn, Claude Picher, Galerie Agnès Lefort, Montréal.

1956

Été ~ Il passe un mois de vacances à Collioure.

Exposition individuelle

Arvia Art Center, Arvida, Québec.

Expositions collectives

[Encres et gravures], Maison des étudiants canadiens de Paris, Paris.

Canadian Abstract Paintings, Smithsonian Institution (exposition itinérante au Canada et aux États-Unis, 1956-1957).

Les Arts en France et dans le monde, Musée d'art moderne de la Ville de Paris.

1957

Il partage un atelier à Montmartre avec le poète et journaliste français Marc Sabathier Lévêque.

Mars ~ Voyage à Londres à l'invitation de Simone Aubry Beaulieu.

Exposition individuelle

Galerie du Haut-Pavé, Paris, mars.

Expositions collectives

35 Peintres dans l'actualité, Musée des beaux-arts de Montréal, du 19 janvier au 3 février.

Deuxième Biennale canadienne, Galerie nationale du Canada, Ottawa.

Lord's Gallery, Londres.

Obelisk Gallery, Londres, mars.

Galerie Iris Clert, Paris.

1958

Printemps ~ Séjour d'un mois à l'hôpital Saint-Antoine de Paris où il est traité pour les brûlures subies lors d'un incendie survenu en pleine nuit dans son atelier, rue de Charenton.

Été ~ Il poursuit sa convalescence à Rome, chez son ami Pierre Pouliot.

Automne ~ Lauréat, avec les peintres de la section canadienne constituée de Jean-Paul Riopelle, Jack Shadbolt, Tony Urquhart et Graham Coughtry, du Guggenheim International Award (23 pays participants).

Expositions individuelles

Théâtre Fauteuil, Bâle, Suisse, du 2 au 14 avril ; il contresigne, dans la revue *Panderma*, un « manifeste contre l'avant-gardisme ».

Exposition de gouaches. Edmund Alleyn, La Boutique, Québec, du 22 mai au 7 juin.

Expositions collectives

Alcopley, Alleyn, Anlo, Anna Marguite, Galerie La main gauche, Paris, du 9 au 22 mai.

13ᵉ Salon des réalités nouvelles, Musée d'Art moderne de la Ville de Paris, du 7 juillet au 3 août.

Œuvres récentes, Galerie Denyse Delrue, Montréal, du 16 au 28 septembre.

Canadian Painting in Europe, Jordan Gallery, Toronto, du 20 septembre au 18 octobre.

Guggenheim International Award 1958, Guggenheim Museum, New York.

Multiplied by Four [Marius Plamondon, Edmund Alleyn, George Swinton, Leo Mol], The Art Gallery of Toronto, Toronto, octobre.

Peintres d'aujourd'hui, Senlis, France.

1959

3 décembre ~ Il est de retour au Québec où il séjourne pendant un an environ. Durant cette période, il habite temporairement chez ses parents, puis emménage dans un appartement situé sur la place Royale, à Québec. Il peint dans le petit atelier de la rue Saint-Gabriel qu'il a occupé avant son départ pour Paris.

Obtention d'une mention honorable (bronze) à la 5ᵉ Biennale d'art moderne, à São Paulo, Brésil.

Expositions collectives

Art contemporain au Canada, Musée Rath, Genève, Suisse, du 7 février au 1ᵉʳ mars.

Walraf Richartz Museum, Cologne, Allemagne, du 14 mars au 12 avril.

Troisième Biennale d'art canadien, exposition organisée par la Galerie nationale du Canada, Ottawa, juin.

14ᵉ Salon des réalités nouvelles, Musée d'Art moderne de la Ville de Paris.

Galleria Appia Antica, Rome.

Vᵉ Biennale de São Paulo, Brésil, de septembre à décembre.

The New Painters of École de Paris, The Lucien Labaudt Art Gallery, San Francisco, USA, du 6 au 20 novembre.

Peintres d'aujourd'hui, Chapelle de l'ancien hôpital de la Charité, Senlis, France, du 8 au 22 novembre.

Quelques peintres d'aujourd'hui, Galerie de l'Ancienne Comédie, Paris, du 25 novembre au 8 décembre.

1960

14 mars ~ Spectacle-performance de Suzanne Rivest, expression corporelle, sur une musique de François Morel, en hommage à Rodolphe de Repentigny, devant ses tableaux exposés à la Galerie Denyse Delrue.

Été ~ Séjour d'une semaine à Percé où il peint en compagnie de l'artiste Micheline Beauchemin.

Il participe, avec les artistes canadiens Jean Paul Lemieux, Albert Dumouchel, Graham Coughtry et Frances Loring, à la Biennale de Venise.

Expositions individuelles

Peintures de Edmund Alleyn, à Québec et à Paris, Galerie La Huchette, Québec, du 11 au 26 février.

Alleyn, Galerie Denyse Delrue, Montréal, du 14 au 26 mars.

Edmund Alleyn : gouaches, dessins, monotypes 1955-1960, Galerie Agnès Lefort, Montréal, du 14 au 26 mars.

Recent Paintings, Roberts Gallery, Toronto, du 5 au 18 octobre.

Expositions collectives

77ᵉ Salon du printemps, Musée des beaux-arts de Montréal.

Arte Canadiense, Museo Nacional de Arte Moderno, Mexico, Mexique.

Biennale de Venezia, Venise, Italie (Pavillon canadien).

Guggenheim International Award 1960, Guggenheim Museum, New York.

Témoignage de leur évolution, Galerie La Huchette, Québec, du 1ᵉʳ au 15 septembre.

1961

De retour à Paris, il habite chez ses amis Jean et Béatrice Maillé et peint dans un atelier en bordure du boulevard Saint-Denis, à Courbevoie.

Printemps ~ Il achète à Paris, dans le XIVᵉ arrondissement, un local sis au 49, rue Liancourt, qu'il transforme en atelier.

Été ~ Voyage à Tolède en Espagne où les tableaux du Greco lui font grande impression.

Exposition individuelle

Roberts Gallery, Toronto.

Expositions collectives

Exposition de gravures, Galerie La Huchette, Québec, du 9 au 22 octobre.

Borduas – Bellefleur – Riopelle – Town – Alleyn, Galerie Denyse Delrue, Montréal.

Exposition de peintres irlandais ou de descendance irlandaise, Collège Saint-Laurent, Saint-Laurent (Montréal), mars.

Galerie Anfora, Paris, avril.

8 Artistes canadiens – œuvres récentes, Galerie Dresdnere, Montréal, du 31 mai au 10 juin.

25 Quebec Painters, Stratford Festival, Stratford, Ontario, du 19 juin au 23 septembre.

Palais Montcalm, Québec.

1962

Été ~ Il fait la rencontre d'Anne Cherix, sa future épouse, au grand café de Montparnasse, La Coupole.

Exposition individuelle

Edmund Alleyn, Galerie Dresdnere, Montréal, du 13 au 27 novembre.

Expositions collectives

La Peinture canadienne moderne. 25 années de peinture au Canada français, Palazzo Colicola, 5e Festival dei due Mondi, Spolète, Italie.

Peintres canadiens, Musée d'art de Varsovie, Pologne.

Six Peintres canadiens, Galerie Arditti, Paris.

Borduas, Riopelle e la giovane pittura canadese, Galleria Levi, Milan, Italie, mai.

1963

Été ~ Vacances sur la Côte d'Azur, à Toulon et chez ses amis Jean et Béatrice Maillé.

Expositions collectives

Troisième Biennale de Paris, Musée d'Art moderne de la Ville de Paris.

Galerie Le Gendre, Paris.

Ve Biennale canadienne, Galerie nationale du Canada, Ottawa.

Galerie Nova et Vetera, Saint-Laurent (Montréal).

The Ten Montreal Artists, Hart House, Toronto, novembre.

Donner à voir, Galerie Creuse, Paris.

1964

Juin ~ Il épouse Anne Cherix à Lausanne, en Suisse.

Été ~ Vacances d'été avec sa compagne Anne à Percé, dans la maison de Simone Aubry.

Retour à la figuration.

À Paris, il fait la connaissance du musicien Philip Glass.

Expositions individuelles

Edmund Alleyn, Galerie Soixante, Montréal, du 24 septembre au 20 octobre.

Roberts Gallery, Toronto, du 22 septembre au 3 octobre.

Expositions collectives

Salon des réalités nouvelles, Musée d'Art moderne de la Ville de Paris.

Royal Canadian Academy of Arts, Galerie nationale du Canada, Ottawa, du 16 janvier au 9 février.

The London Public Library and Art Museum, London, Ontario, du 6 au 31 mars.

Peintres du Québec à Paris, M. C. J. Paris-Mercœur, Paris, du 5 au 26 juin.

Galerie Soixante, Montréal, du 29 septembre au 20 octobre.

Action et réflexion, Galerie A, Paris, du 24 avril au 16 mai.

La Boîte, Galerie Le Gendre, Paris.

Mythologie quotidienne, Musée d'art moderne de la Ville de Paris, juillet-octobre.

1965

Vacances dans le midi de la France chez son ami le peintre Cheval-Bertrand.

Expositions collectives

Edmund Alleyn, Serge Béguier, F. Kriwet, Galerie Riquelme, Paris, du 12 au 20 octobre.

Alleyn, Buri, Conty, Rustin, Weiss, Galerie Jacques Massol, Paris, du 11 mars au 3 avril.

Seizième Salon de la jeune peinture, Musée d'Art moderne de la Ville de Paris.

Galerie Margo Fisher, Grand'Mère, Québec.

La Figuration narrative, Galerie Creuse et Galerie Europe, Paris (exposition itinérante à Bâle, Zurich et Lausanne, en Suisse).

Exposition de dessins, Galerie A, Paris, du 17 juin au 10 juillet.

Artistes de Montréal, Musée d'art contemporain de Montréal, du 12 juillet au 22 août.

82 Peintres canadiens, Cité universitaire, pavillon Lemieux, Québec, du 21 au 27 août.

Artistes latino-américains de Paris, Musée d'Art moderne de la Ville de Paris, 25 juin au 20 juillet ; le critique d'art Denis Chevalier estime que les Québécois sont des Latino-Américains de l'Amérique du Nord.

Pintura Redonda, Sala del Prado del Ateneo de Madrid, Espagne.

Salon des réalités nouvelles, Musée d'Art moderne de la Ville de Paris.

Sixième Exposition biennale de la peinture canadienne 1965, Galerie Nationale du Canada, Ottawa (exposition itinérante).

1966

Mars-mai ~ Participation au spectacle *Sainte Geneviève dans la baignoire* de Graziella Martinez, présenté les 21 et 28 mars, rue de la Montagne Sainte-Geneviève. Edmund y réalise un sketch intitulé *Du fil à retordre*. Le spectacle est repris au Centre culturel américain de Paris les 3, 5, 7 et 9 mai.

Été ~ Vacances dans le midi de la France, à La Gardiette, chez Cheval-Bertrand, avec les peintres Monory, Rancillac et leurs familles.

18 septembre ~ Suicide, à Paris, de Cheval-Bertrand.

Expositions individuelles

Paintings by Edmund Alleyn, Hart House, University of Toronto, Toronto, du 8 au 18 février.

Edmund Alleyn, Galerie Édouard Smith, Paris, du 15 mars au 15 avril.

Expositions collectives

17e Salon de la jeune peinture, Musée d'Art moderne de la Ville de Paris, du 9 janvier au 1er février.

Schèmes 66, Musée d'Art moderne de la Ville de Paris.

Zéro-Point, Galerie La Roue, Paris, 8 au 25 janvier.

Edmund Alleyn, Ulysse Comtois, Galerie Édouard Smith, Paris, du 15 mars au 15 avril.

Super Mercado 66, Galeria Relêno, Rio de Janeiro, Brésil.

Alleyn, Beynon, Monory, Rancillac : Zoom 1, Nouvelle Galerie Blumenthal, Paris, octobre.

Cinquante Peintres de l'École de Paris, Gmünd, Darmstadt, Allemagne.

Peinture vivante du Québec : vingt-cinq ans de libération de l'œil et du geste, Musée du Québec, Québec.

Donner à voir, Musée d'Art moderne de la Ville de Paris, du 14 au 27 juin.

Opinião 66, Musée d'art moderne de Rio de Janeiro, Brésil, du 25 août au 11 septembre.

Salon des réalités nouvelles, Musée d'Art moderne de la Ville de Paris.

1967

Été ~ À l'invitation du gouvernement cubain, il fait, en compagnie de 50 peintres, graveurs, sculpteurs, poètes, dont Adami, Monory, Arroyo, César et Michel Leiris, un séjour d'un mois et demi à Cuba. Il rencontre Fidel Castro durant son voyage et participe à la réalisation d'une œuvre collective sur une grande place de La Rampa. Il visite La Havane et Santiago. À son retour, il effectue un arrêt à Mexico.

Été ~ Participation double, à Expo 67 à Montréal, au pavillon du Québec et à celui de la France.

Automne ~ Séjour d'une semaine, avec son épouse Anne, chez Philip Glass à New York. Il participe à la rencontre de l'EAT sur *Art and Technology*. Il y croise Robert Rauschenberg et le sculpteur Richard Serra.

Expositions individuelles

Conditionnement, Galerie Blumenthal-Mommaton, Paris, du 26 avril au 23 mai.

Galerie Soixante, Montréal, du 31 octobre au 13 novembre.

Agression, Galerie Delta, Amsterdam, Pays-Bas, du 15 décembre 1967 au 14 janvier 1968.

Expositions collectives

Exposition internationale de la figuration narrative, Galerie Zu Predigern, Zurich, Suisse, du 12 janvier au 4 février.

Bande dessinée et figuration narrative, Musée des Arts décoratifs, Paris, du 7 avril au 12 juin.

L'Œil de bœuf, Galerie A, Haarlem, Pays-Bas, du 8 avril au 8 mai.

Salon de Mai, Musée d'art moderne, La Havane, Cuba.

Le Monde en question, Musée d'Art moderne de la Ville de Paris, du 6 au 28 juin.

Biennale internazionale della giovane pittura, Bologne, Italie, du 13 juin au 30 septembre.

Expo 67, pavillon de la France et pavillon du Québec, Montréal.

1er Festival d'art moderne, salles du Château, Châteauvallon, France, du 9 au 15 août.

Pour une nouvelle imagerie, Galerie Soixante, Montréal, octobre.

Panorama de la peinture au Québec 1940-1966, Musée d'art contemporain de Montréal.

Zoom 2, Galerie Blumenthal-Mommaton, Paris.

Galerie Jacqueline Ranson, Paris.

Trois Cents Ans d'art canadien, Galerie nationale du Canada, Ottawa.

Science-fiction, Kunsthalle de Berne, Suisse ; Musée des Arts décoratifs de Paris, 1968.

1968

Mai ~ Il participe activement aux événements de mai 68 à Paris. Il crée des affiches dans le sous-sol de l'École des beaux-arts de Paris pour soutenir la cause des grévistes.

Désenchanté du commerce de l'art, il met un terme à sa collaboration avec la Galerie Blumenthal-Mommaton de Paris et la Galerie Soixante de Montréal.

Décembre ~ Il entreprend l'élaboration, puis la fabrication de *L'Introscaphe*.

Exposition individuelle

Edmund Alleyn : "Conditionning", Carmen Lamanna Gallery, Toronto, du 1er au 19 mars.

Expositions collectives

24e Salon de mai, Musée d'art moderne de la Ville de Paris.

10 Peintures du Québec, Musée d'art contemporain de Montréal, Montréal, du 21 mars au 14 avril ; Musée du Québec, Québec.

1969

Obtention d'une bourse de travail libre du Conseil des arts du Canada (1969-1970).

7 mai ~ Naissance de sa fille Jennifer.

Vacances à La Gardiette chez le père de Cheval-Bertrand, avec les Monory, Rancillac, etc.

Réalisation et production du film *Alias* (10 min, couleur, 16 mm) dont un extrait de quatre minutes sera projeté dans *L'Introscaphe*.

Expositions collectives

Distances, Musée d'Art moderne de la Ville de Paris.

The Canadian Scene, Deson-Zacks Gallery, Chicago, USA.

Festival international de la peinture, Cagnes-sur-Mer, France.

1970

Mai ~ Il participe au spectacle de John Cage aux Halles de Balthar, Paris.

Septembre ~ *L'Introscaphe* est complété.

Exposition collective

Présentation de *L'Introscaphe* avec des œuvres de Christian Boltanski, Sarkis et autres. Musée d'Art moderne de la Ville de Paris.

1971

De retour au Québec, il habite Westmount avec Anne et sa fille Jennifer. Il achète un entrepôt

désaffecté au 3853, rue Clark qu'il transforme, sur une période de neuf mois, en atelier.

Exposition individuelle

L'Introscaphe I, salon d'exposition du Grand Théâtre de Québec, à partir du 28 novembre. L'exposition, qui doit se poursuivre jusqu'au 24 décembre est interrompue à partir du 2 décembre en raison de défaillances techniques.

1972

Déménagement et installation de la famille au 1234, avenue Van Horne, à Montréal.

Professeur à temps partiel, puis à temps plein, de 1972 à 1991, au Département des arts visuels de l'Université d'Ottawa : dessin, peinture, atelier dirigé (interdisciplinaire).

Vacances d'été au bord du lac Massawippi.

Exposition collective

Acquisitions de la collection Gisèle et Gérard Lortie, Musée d'art contemporain de Montréal, du 3 mars au 16 avril.

1974

Edmund Alleyn vit désormais seul dans son atelier de la rue Clark.

Vacances en famille au bord du lac Massawippi.

Expositions individuelles

Gravures 1954, Galerie Benedek-Grenier, Québec, du 19 au 31 janvier.

Une belle fin de journée, Musée du Québec, Québec, du 12 septembre au 7 octobre ; Musée d'art contemporain de Montréal, du 10 octobre au 10 novembre ; Université de Sherbrooke (version réduite), mars 1975 ; Winnipeg Art Gallery, Winnipeg, 1975 ; Vancouver Art Gallery (version réduite), Vancouver, 1975 ; Oshawa Art Gallery, Oshawa, Ontario, janvier 1977.

Expositions collectives

Projet 80 [exposition d'art et encan], Montréal, du 7 au 10 octobre.

Pavillon du Québec, Terre des Hommes, Montréal.

1975

Vacances d'été en famille au lac Massawippi.

Expositions collectives

Video Coye Alternative. Fourth International Open Encounter, Buenos Aires, Argentine, du 31 octobre au 14 novembre.

Salon Claude Péloquin, Galerie Espace V, Montréal [1975-1976].

Québec 75 [Exposition présentée par l'Institut d'art contemporain], Musée d'art contemporain de Montréal, du 16 octobre au 23 novembre (exposition itinérante au Canada, organisée par l'Institut d'art contemporain et présentée notamment à la Art Gallery of Ontario).

1976

Achat d'un chalet au lac Memphrémagog, Québec. Vacances en famille au lac.

Exposition individuelle

Dessins pour une journée d'été, Centre d'art d'Orford, Orford, Québec.

Expositions collectives

111 Dessins du Québec, Musée d'art contemporain de Montréal (exposition itinérante au Canada).

Trois Générations d'art québécois, Musée d'art contemporain de Montréal.

Forum 76, Musée des beaux-arts de Montréal, du 23 septembre au 7 novembre.

De la figuration à la non-figuration dans l'art québécois, Musée d'art contemporain de Montréal (exposition itinérante au Québec 1976-1977-1978 organisée par le Musée d'art contemporain).

Murale extérieure, dans le cadre du programme *Arts et culture* des Jeux olympiques de Montréal.

Exhibition (exposition des professeurs du Département des arts visuels de l'Université d'Ottawa), Murray Street, Ottawa.

Painting Now '76'77, Agnes Etherington Art Centre, Queen's University, Kingston, Ontario.

1977

Début de sa relation avec l'artiste Suzanne Pasquin.

Il entreprend l'élaboration d'un environnement peint pour un édifice du gouvernement fédéral à Sept-Îles.

Exposition individuelle

Réalisation, pour un édifice du gouvernement du Canada, d'une douzaine de personnages peints sur plexiglas ; quatre tableaux de grand format sur l'histoire de Sept-Îles, Québec (installation complétée en avril 1980).

Expositions collectives

L'Art dans la rue [esquisses pour des murales], Musée d'art contemporain de Montréal.

Montréal maintenant, London Art Gallery, London, Ontario, du 3 juin au 3 juillet.

03-23-03 [Premières Rencontres internationales d'art contemporain], 1306, rue Amherst, Montréal.

Galerie nationale du Canada, Ottawa du 12 au 14 décembre, artiste invité à la School of Fine Arts, à Banff, en Alberta.

1978

Vacances d'été en compagnie de Suzanne Pasquin au lac Memphrémagog.

Expositions collectives

Le Réalisme au Québec, foyer de la Place des Arts, Montréal.

Group of Seven Junior [réalisation d'une bande sonore de 45 minutes], Galerie Graphics, Ottawa.

Gravures et dessins, Atelier Graff, Montréal, du 9 au 26 février.

Tendances actuelles, Musée d'art contemporain de Montréal.

Œuvres québécoises de la collection 1940-1960, Musée d'art contemporain de Montréal, du 16 mars au 9 avril.

Le Musée d'hiver, Musée des beaux-arts de Montréal, du 21 décembre 1978 au 29 janvier 1979.

1980

Expositions collectives

Dix Ans de sculpture au Québec – 1970-1980, Chicoutimi, Québec.

Musée d'art contemporain de Montréal.

The Seven Ages of Man, London Regional Art Gallery, London, Ontario, du 3 mai au 15 juin.

1983

Exposition particulière

Trois triptyques photographiques, Corporation d'hébergement du Québec à Montréal.

1985

Rencontre d'Anne Youlden, avec qui il noue une relation.

Expositions individuelles

Exposition d'œuvres, Domaine Forget, Saint-Irénée, Québec, juillet.

Exposition d'une suite de 35 photosérigraphies sur l'histoire du Sault-au-Récollet, Centre hospitalier Fleury, du 28 au 30 mars.

Exposition collective

Les Vingt Ans du Musée à travers sa collection, Musée d'art contemporain de Montréal, du 27 janvier au 21 avril.

1987

Exposition collective

Galerie Don Stewart, Montréal, du 15 janvier au 14 février.

1988

Expositions collectives

Giant Step for Art, The Edith Berringer Foundation, Westmount, Québec.

Accents II de la Collection Lavalin, Musée du Séminaire de Québec, Québec, du 30 avril au 26 juin.

Galerie d'art Lavalin, Montréal, du 20 juillet au 28 août.

1989

Rencontre de Suzanne Danis.

Expositions collectives

L'Avant-garde des années 50 et 60, Galerie Bernard Desroches, Montréal.

Canadian Post-War Avant-Garde 1945-1965, Kaspar Gallery, Toronto.

1990

Expositions individuelles

Indigo, Galerie d'art Lavalin, Montréal, du 27 avril au 2 juin ; Maison de la culture Côte-des-Neiges, Montréal, du 26 avril au 26 mai.

Indigo, 49th Parallel, Centre for Contemporary Canadian Art, New York, du 27 novembre 1990 au 5 janvier 1991.

1993

Expositions collectives

Moments choisis. Collection de la Banque Nationale du Canada, Galerie de l'UQAM, Montréal, du 14 janvier au 21 février.

Parti pris de peindre/parti pris peinture, Galerie de l'UQAM, Montréal, du 4 au 28 mars.

Œuvres méconnues, Galerie de l'UQAM, Montréal, du 22 juin au 25 juillet ; The Robert McLaughlin Gallery, Oshawa, du 2 février au 5 mars.

1994

Exposition individuelle

Œuvres médiatiques et œuvres récentes, Galerie Christiane Chassay, Montréal, du 27 août au 24 septembre.

Expositions collectives

Dessin à dessein, Galerie de l'UQAM, Montréal, du 13 janvier au 12 février.

L'Abstraction à Montréal 1950-1970. Peintures, dessins et estampes, Galerie Simon Blais, Montréal, du 4 mai au 4 juin.

1995

Expositions collectives

Et ainsi de suite..., Galerie Christiane Chassay, Centre d'exposition Circa, Montréal, du 24 février au 25 mars.

Dons 1989-1994, Musée d'art contemporain de Montréal, du 28 avril au 29 octobre.

1996

Exposition individuelle

Edmund Alleyn. Les Horizons d'attente 1955-1995, Galerie Christiane Chassay, Montréal ; Musée d'art de Joliette, Québec, du 22 septembre 1996 au 12 janvier 1997 ; Musée du Québec, du 28 mai au 7 septembre 1997 ; Ottawa Art Gallery, Ottawa, du 19 février au 19 avril 1998.

Expositions collectives

Acquisitions 1995, Musée du Québec, Québec.

Hommage à Agnès Lefort : Montréal 1950-1961, Leonard et Bina Ellen Gallery, Université Concordia, Montréal.

1997

20 février ~ Publication, dans l'hebdomaire *Voir*, de « Haro sur le critique », une lettre de protestation collective signée par Suzanne Danis, Guido Molinari, Michel Goulet, Serge Lemoyne, douze autres artistes et un galériste contre l'article du critique d'art Stéphane Aquin paru le 3 janvier 1997 dans *Voir*.

Expositions collectives

Vanités : Regards sur la nature morte contemporaine, Galerie de l'UQAM, Montréal, du 6 janvier au 1er mars.

La Collection d'œuvres d'art de la Banque Nationale, Domaine Cataraqui, Québec.

L'Œil du collectionneur, Musée d'art contemporain de Montréal.

1998

Expositions collectives

An Expanded View : Works from the Firestone Collection, The Ottawa Art Gallery, Ottawa.

Univers urbains, Musée du Québec, Québec.

Temps composés. La donation Maurice Forget, Musée d'art de Joliette, Joliette, Québec.

Œuvres abstraites 1962-1992, Galerie des arts visuels, Université Laval, Québec.

1999

Expositions collectives

Déclics : l'art des années 60 et 70 au Québec, Musée d'art contemporain de Montréal, du 28 mai au 31 octobre ; Musée de la civilisation, Québec.

Acquisitions 1990-2000, Musée du Québec, Québec.

Du paysage dans la collection, Musée régional de Rimouski, Rimouski, Québec

Discernment: Acquisitions from the Permanent Collection, Ottawa Art Gallery, Ottawa.

2000

Expositions collectives

Degrees of Abstraction, Karsh-Masson Gallery, City Hall, Ottawa.

La Nature des choses, Musée du Québec, Québec, du 9 novembre au 22 avril 2001 ; Centre d'exposition du Vieux-Palais, Saint-Jérôme, Québec, du 3 juillet au 3 septembre 2001 ; Centre d'exposition de Val-d'Or, Québec, du 12 janvier au 17 février 2002 ; Centre national d'exposition, Jonquière, Québec, du 3 mars au 12 mai 2002 ; Musée régional de la Côte-Nord, Sept-Îles, été 2002 ; Musée minéralogique et minier de Thetford Mines, Québec, du 22 février au 20 avril 2003.

La Cathédrale engloutie, Galerie BÉ, Galerie René Blouin et Galerie Liliane Rodriguez, Montréal.

Une expérience de l'art du siècle, Musée d'art de Joliette, Joliette.

2001

Expositions individuelles

Les Éphémérides, Centre d'exposition Circa, Montréal, du 5 mai au 9 juin.

Thèmes et variations, Galerie Les Modernes, Montréal, du 5 au 31 mai.

Expositions collectives

Artista. Salon du printemps des artistes des Cantons-de-l'Est, Musée des beaux-arts de Sherbrooke, Sherbrooke, Québec, du 9 avril au 20 mai.

Oasis, Liane et Deny Taran Gallery, Centre Saydie Bronfman, Montréal, du 17 juin au 26 août.

Le Mobilier comme prétexte, œuvres de Edmund Alleyn, Mario Duchesneau et Gilles Mihalcean, Musée régional de Rimouski, Rimouski, Québec, du 13 septembre au 11 novembre.

2003

Membre du jury du prix Pierre-Ayot de la ville de Montréal.

Exposition collective

Été ~ *Éclatement de formes et de textures*, Musée d'art de Mont-Saint-Hilaire, Mont-Saint-Hilaire, Québec.

Été ~ Il traverse une période de grande solitude et passe l'été seul au lac Memphrémagog.

Novembre ~ Début de la maladie d'Edmund Alleyn.

2004

Été ~ Edmund Alleyn passe l'été, entouré de sa famille, au lac Memphrémagog.

Exposition particulière

Les Éphémérides – Tableaux et lavis 1998-2004, Musée des beaux-arts de Sherbrooke, Sherbrooke, Québec, du 1er mai au 19 septembre.

24 décembre ~ Décès d'Edmund Alleyn à Montréal, emporté par un cancer.

Cette chronologie, établie par Gilles Lapointe, est reproduite avec l'aimable autorisation de son auteur et des éditions du passage.

TABLE DES MATIÈRES

Ce livre a été achevé d'imprimer sur les presses de J. B. Deschamps, Montréal (Québec), en octobre 2009.